Chicken Soup for the Soul ®

WORD-FINDS ™

Volume 46

Dear Solver,

This is a whole new kind of Word-Find puzzle book!

In each puzzle, the left-hand page contains an inspirational quotation – some of whose words and phrases are capitalized – and the right-hand page contains a diagram of letters. Your task is to find and circle the capitalized words and phrases from the quotation in the diagram. Hidden words may lie across, down, diagonally, or even backwards in the diagram, but always in a straight line. As you find each word, circle it in the diagram and mark it off in the quotation. Circled words often overlap, and letters in the diagram can be in more than one circled word. Remember, only capitalized words and phrases can be found in the diagram.

We know you'll have fun solving these puzzles, and hope you'll find some motivation, encouragement, and inspiration in the wise and witty quotations.

The Editors

 KAPPA Books

Visit us at www.kappapublishing.com/kappabooks

Manufactured by Kappa Publishing Group, Inc. under license from Chicken Soup for the Soul Publishing LLC.
©2010 Chicken Soup for the Soul Publishing LLC. All Rights Reserved.

Inspiration 1

FACTS DO
NOT MAKE
HISTORY;
facts DO NOT
EVEN MAKE
EVENTS. A
FACT IS an
ISOLATED
PARTICLE of
EXPERIENCE,
is REFLECTED
LIGHT
WITHOUT A
SOURCE,
PLANET with

NO SUN,
STAR WITHOUT
CONSTELLA-
TION,
constellation
BEYOND
GALAXY, galaxy
OUTSIDE the
UNIVERSE —
fact IS NOTHING.
(RUSSELL
BANKS)

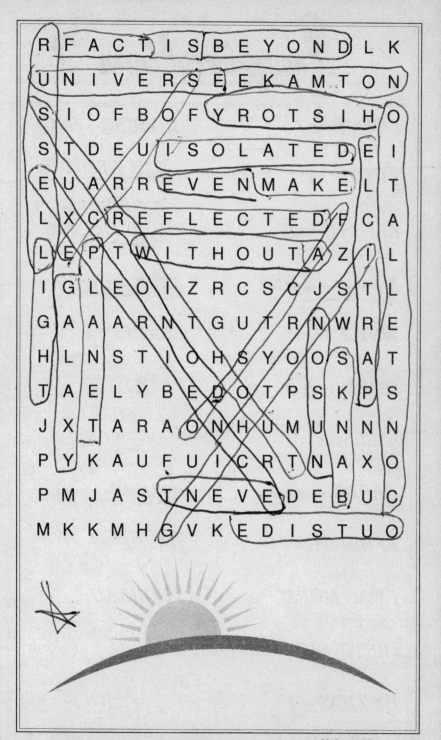

```
R F A C T I S B E Y O N D L K
U N I V E R S E E K A M T O N
S I O F B O F Y R O T S I H O
S T D E U I S O L A T E D E I
E U A R R E V E N M A K E L T
L X C R E F L E C T E D F C A
L E P T W I T H O U T A Z I L
I G L E O I Z R C S C J S T L
G A A A R N T G U T R N W R E
H L N S T I O H S Y O O S A T
T A E L Y B E D O T P S K P S
J X T A R A O N H U M U N N N
P Y K A U F U I C R T N A X O
P M J A S T N E V E D E B U C
M K K M H G V K E D I S T U O
```

Inspiration 2

I ONCE had a

SPARROW

ALIGHT upon

MY SHOULDER

WHILE I was

HOEING in a

VILLAGE

GARDEN, and

I FELT THAT

I WAS MORE

DISTINGUISHED

BY THAT

CIRCUMSTANCE

THAN I

SHOULD HAVE

BEEN BY any

EPAULET I

COULD

HAVE WORN.

(HENRY

DAVID

THOREAU)

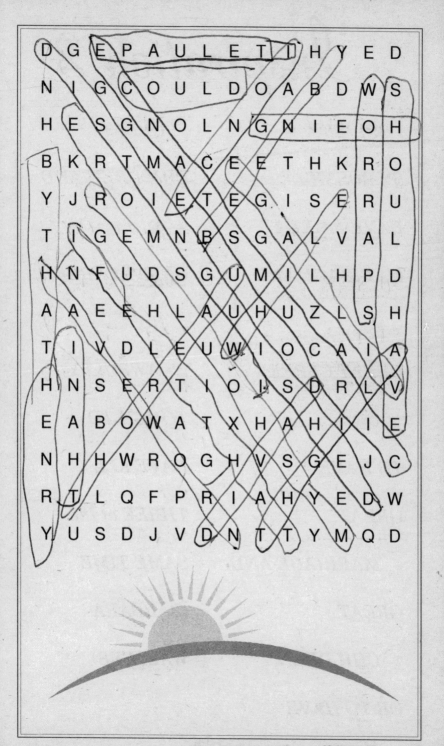

D G E P A U L E T T I H Y E D
N I G C O U L D O A B D W S
H E S G N O L N G N I E O H
B K R T M A C E E T H K R O
Y J R O I E T E G I S E R U
T I G E M N B S G A L V A L
H N F U D S G U M I L H P D
A A E E H L A U H U Z L S H
T I V D L E U W I O C A I A
H N S E R T I O I S D R L V
E A B O W A T X H A H I I E
N H H W R O G H V S G E J C
R T L Q F P R I A H Y E D W
Y U S D J V D N T T Y M Q D

Inspiration 3

I BELIEVE

it's POSSIBLE to

HAVE A GREAT

MARRIAGE AND

A

GREAT CAREER,

OR

TO HAVE A

GREAT

MARRIAGE AND

GREAT

CHILDREN,

OR TO HAVE

GREAT

CHILDREN AND

A

GREAT CAREER,

BUT

it's AWFULLY

TOUGH TO

HAVE ALL

THREE at the

SAME TIME.

(BARBARA

WALTERS)

```
E A W F U L L Y W L M L Q D R P
L A Z A U M A L N Q G Q C D O P
T N D X L F E L A H U H A W R M
U H T N Q T L M A E I R N S E P
B Q R B A X E V I L V E A A E E
R A M E V E E R D T R A B V R V
E P R N E A G R S D E Z H P A E
E X B B G U E A L Q V M R O C I
R J P R A N H I I Z L U A S T L
A R E V A R H M R R Q X M S A E
C A K N K C A Q P F R Q N I E B
T G D T T O U G H T O A P B R I
A A P A W Q G T U R S I M L G W
E Q E F M X J I K A N M H E V P
R R A O R T O H A V E G R E A T
G R E A T M A R R I A G E A N D
```

Inspiration 4

I LIKE

NONSENSE, IT

WAKES UP the

BRAIN CELLS.

FANTASY is a

NECESSARY

INGREDIENT

IN LIVING,

IT'S A WAY

OF LOOKING

AT LIFE

THROUGH THE

WRONG END of

a TELESCOPE.

WHICH IS

WHAT I DO,

AND THAT

ENABLES YOU

TO LAUGH AT

LIFE'S

REALITIES.

(DR. SEUSS)

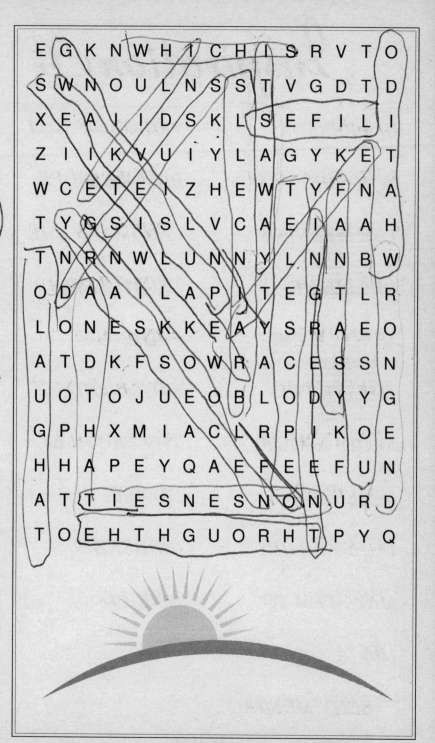

```
E G K N W H I C H I S R V T O
S W N O U L N S S T V G D T D
X E A I I D S K L S E F I L I
Z I I K V U I Y L A G Y K E T
W C E T E I Z H E W T Y F N A
T Y G S I S L V C A E I A A H
T N R N W L U N N Y L N N B W
O D A A I L A P I T E G T L R
L O N E S K K E A Y S R A E O
A T D K F S O W R A C E S S N
U O T O J U E O B L O D Y Y G
G P H X M I A C L R P I K O E
H H A P E Y Q A E F E E F U N
A T T I E S N E S N O N U R D
T O E H T H G U O R H T P Y Q
```

Inspiration 5

IF A PERSON

IS TO GET

THE MEANING

OF LIFE HE

MUST LEARN

TO LIKE THE

FACTS ABOUT

HIMSELF —

UGLY AS THEY

MAY SEEM TO

HIS

SENTIMENTAL

VANITY —

BEFORE HE

CAN LEARN THE

TRUTH BEHIND

THE

FACTS. AND

THE TRUTH IS

NEVER UGLY.

(EUGENE

O'NEILL)

```
R H I S S E N T I M E N T A L
C A N L E A R N T H E M Y T M
Y F V L Q T E W E W A C R E U
E A G L G Z E F R Y W U E H S
H C N I Q U I G S J T K R E T
T T I E F L Y E O H V Y P R L
S S N N F A E L B T Q Y Y O E
A A A O V M P E G T S L T F A
Y N E U T E H E U U J I I E R
L D M O M I A I R G R H N B N
G L E L N S I E M S E E A Q Q
U D H D R L J D L S O N V J P
T K T O L I K E T H E N E E H
T H E T R U T H I S U L C Y N
E J A T U O B A S T C A F O O
```

Inspiration 6

It HAUNTS

ME, THE

PASSAGE of time.

I THINK TIME IS

A MERCILESS

THING. I

THINK LIFE

is a PROCESS

of BURNING

ONESELF out

AND TIME is

THE FIRE

that BURNS

YOU. BUT I

THINK THE

SPIRIT of

MAN IS A

GOOD

ADVERSARY.

(TENNESSEE

WILLIAMS)

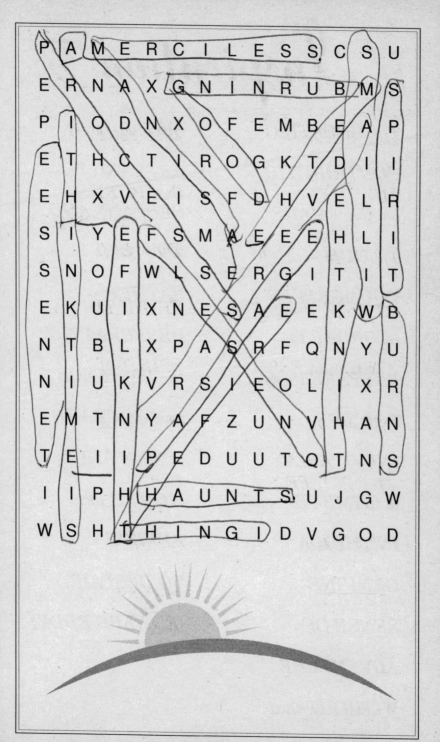

```
P A M E R C I L E S S C S U
E R N A X G N I N R U B M S
P I O D N X O F E M B E A P
E T H C T I R O G K T D I I
E H X V E I S F D H V E L R
S I Y E F S M A E E E H L I
S N O F W L S E R G I T I T
E K U I X N E S A E E K W B
N T B L X P A S R F Q N Y U
N I U K V R S I E O L I X R
E M T N Y A F Z U N V H A N
T E I I P E D U U T O T N S
I I P H H A U N T S U J G W
W S H T H I N G I D V G O D
```

Inspiration 7

The GREATEST

CONTRIBUTION

we CAN MAKE

TO OUR

YOUNGSTERS

in ORDER to

PREPARE them

FOR THE

INEVITABLE

is to IMBUE

IN THEM A

GENUINE

SENSE OF

ADVENTURE.

WITHOUT that

SENSE, ONE

may EASILY

DESPAIR, AND

WE NEED

RATHER

DESPERATELY

the PATIENCE

and COURAGE

of MEN AND

WOMEN who

REFUSE

TO DESPAIR.

(EDWARD EDDY)

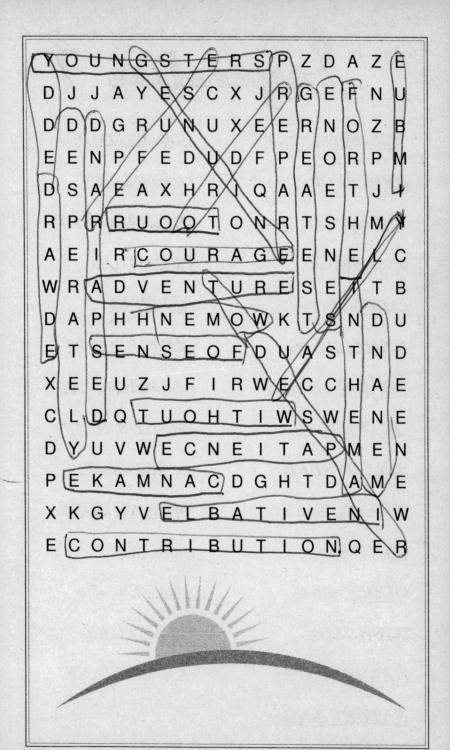

```
Y O U N G S T E R S P Z D A Z E
D J J A Y E S C X J R G E F N U
D D D G R U N U X E E R N O Z B
E E N P F E D U D F P E O R P M
D S A E A X H R I Q A A E T J I
R P R R U O O T O N R T S H M Y
A E I R C O U R A G E E N E L C
W R A D V E N T U R E S E T T B
D A P H H N E M O W K T S N D U
E T S E N S E O F D U A S T N D
X E E U Z J F I R W E C C H A E
C L D Q T U O H T I W S W E N E
D Y U V W E C N E I T A P M E N
P E K A M N A C D G H T D A M E
X K G Y V E L B A T I V E N I W
E C O N T R I B U T I O N Q E R
```

Inspiration 8

THE BEST

REMEDY for

THOSE who

are AFRAID,

LONELY or

UNHAPPY is

TO GO

OUTSIDE,

SOMEWHERE

WHERE THEY

CAN BE

QUIET, alone

WITH THE

HEAVENS,

NATURE AND

God. BECAUSE

ONLY THEN

DOES ONE

FEEL THAT

ALL IS as it

SHOULD be

AND THAT God

WISHES to

see PEOPLE

happy, AMIDST

the SIMPLE

BEAUTY

OF NATURE.

(ANNE FRANK)

```
D A N N E F R A N K I T F D M
U W I S H E S E B E A U T Y V
N H C K L X K O M D T O G O E
H E D P I N G C I E S O H T R
A R O S I L L A M I D S T E U
P E N A T U R E A N D Y N G T
P T D T H F D F S J R O C E A
Y H S I A E L P M I S Y I S N
U E F E S H L J K E L U G U F
J Y Q M B T T A O E Q R V A O
L U Z G B E U D N E B N A C F
S N E V A E H O N L Y T H E N
D G W F E E L T H A T N R B P
V D L U O H S O M E W H E R E
Q K J E H T H T I W D D G L Q
```

Inspiration 9

The MOMENT

we BEGIN to

FEAR THE

OPINIONS of

OTHERS and

HESITATE to

TELL THE

TRUTH that

is IN US,

AND FROM

MOTIVES of

POLICY are

SILENT when

we SHOULD

SPEAK, the

DIVINE

FLOODS of

LIGHT and

LIFE NO

LONGER flow

INTO OUR

SOULS.

(ELIZABETH

Cady STANTON)

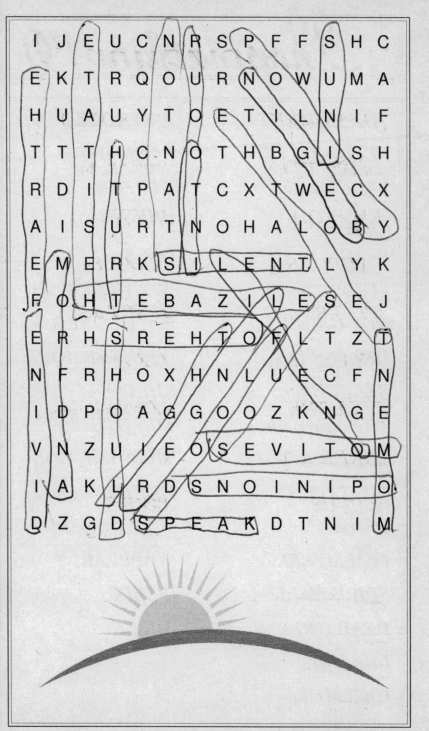

```
I  J  E  U  C  N  R  S  P  F  F  S  H  C
E  K  T  R  Q  O  U  R  N  O  W  U  M  A
H  U  A  U  Y  T  O  E  T  I  L  N  I  F
T  T  T  H  C  N  O  T  H  B  G  I  S  H
R  D  I  T  P  A  T  C  X  T  W  E  C  X
A  I  S  U  R  T  N  O  H  A  L  O  B  Y
E  M  E  R  K  S  I  L  E  N  T  L  Y  K
F  O  H  T  E  B  A  Z  I  L  E  S  E  J
E  R  H  S  R  E  H  T  O  F  L  T  Z  I
N  F  R  H  O  X  H  N  L  U  E  C  F  N
I  D  P  O  A  G  G  O  O  Z  K  N  G  E
V  N  Z  U  I  E  O  S  E  V  I  T  O  M
I  A  K  L  R  D  S  N  O  I  N  I  P  O
D  Z  G  D  S  P  E  A  K  D  T  N  I  M
```

THE UNIQUE

PERSONALITY

WHICH is the

REAL LIFE

IN ME,

I CAN

NOT GAIN

UNLESS I

SEARCH for

THE REAL life,

THE SPIRITUAL

QUALITY, IN

others.

I AM MYSELF

SPIRITUALLY

DEAD UNLESS

I REACH

OUT TO the

FINE QUALITY

DORMANT in

OTHERS.

FOR IT is

ONLY

WITH THE GOD

ENTHRONED in

the INNERMOST

SHRINE of

THE OTHER,

THAT THE GOD

HIDDEN IN me,

WILL CONSENT

to APPEAR.

(FELIX

ADLER)

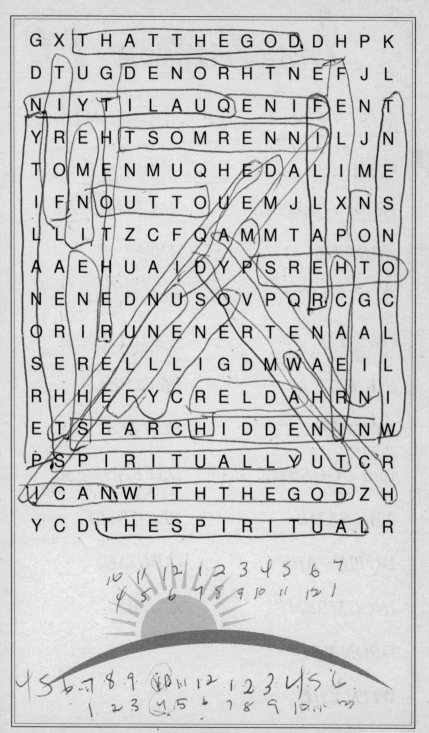

```
G X T H A T T H E G O D D H P K
D T U G D E N O R H T N E F J L
N I Y T I L A U Q E N I F E N T
Y R E H T S O M R E N N I L J N
T O M E N M U Q H E D A L I M E
I F N O U T T O U E M J L X N S
L L I T Z C F Q A M M T A P O N
A A E H U A I D Y P S R E H T O
N E N E D N U S O V P Q R C G C
O R I R U N E N E R T E N A A L
S E R E L L I G D M W A E I L
R H H E F Y C R E L D A H R N I
E T S E A R C H I D D E N I N W
P S P I R I T U A L L Y U T C R
I C A N W I T H T H E G O D Z H
Y C D T H E S P I R I T U A L R
```

Inspiration 11

JUSTICE,

HUMANITY, and

BENEVOLENCE

ARE THE

DUTIES YOU

OWE TO

SOCIETY in

GENERAL. To

your COUNTRY

THE SAME

DUTIES ARE

INCUMBENT

UPON YOU

WITH THE

ADDITIONAL

OBLIGATION OF

SACRIFICING

EASE,

PLEASURE,

WEALTH, and

life ITSELF

FOR ITS

DEFENSE and

SECURITY.

(ABIGAIL

ADAMS)

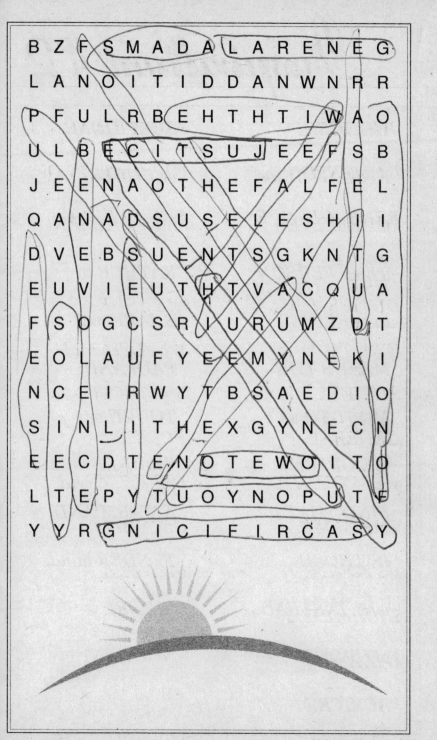

```
B Z F S M A D A L A R E N E G
L A N O I T I D D A N W N R R
P F U L R B E H T H T I W A O
U L B E C I T S U J E E F S B
J E E N A O T H E F A L F E L
Q A N A D S U S E L E S H I I
D V E B S U E N T S G K N T G
E U V I E U T H T V A C Q U A
F S O G C S R I U R U M Z D T
E O L A U F Y E E M Y N E K I
N C E I R W Y T B S A E D I O
S I N L I T H E X G Y N E C N
E E C D T E N O T E W O I T O
L T E P Y T U O Y N O P U T F
Y Y R G N I C I F I R C A S Y
```

Inspiration 12

WHEN WE HONESTLY ask OURSELVES which PERSON in our LIVES MEANS THE MOST TO us, WE OFTEN FIND THAT it IS THOSE who, INSTEAD of GIVING ADVICE, SOLUTIONS, or CURES, have CHOSEN RATHER to SHARE our PAIN AND TOUCH our WOUNDS with A WARM AND TENDER hand. (HENRI NOUWEN)

```
W O P A W A R M A N D G A O
E S B M G G I V I N G W U T
O E D D Q S L R R E Z R N E
F R C A T L F E N E S E K N
T U M H E R H X H E W N P D
E C O S O T D T L U H O Y E
N S V Q A S S V O O O S A R
E S O R Y N E N C P N R W H
E E B L A S Q N I A E E H W
R V W E C I V D A I S P E O
A I M T O U C H Z N T W N U
H L I M O S T T O A L F W N
S O L U T I O N S N Y N E D
E F I N D T H A T D B H W S
```

Inspiration 13

DURING the

DEPRESSION

my MOTHER

FOUND out

how TO SAVE

MONEY. She

USED TO

CHEAT bus

DRIVERS. SHE

GOT ON a bus

WITH A

TRANSFER A

DAY OLD. And

THE DRIVER

WOULD say,

"LADY, THIS

IS FROM

YESTERDAY."

AND SHE

SAID, "YOU

see HOW LONG

I'VE BEEN

WAITING for

THE BUS?"

(Bob MELVIN)

C G N I T I A W O U L D R E
O Y J G O V S U Z I W B K G
M M X N S E X A N D S H E N
D E J I A B G X I S F R O M
E L B R V E N O Z D H K O Y
P V A U E E O C T Y Y T J E
R I T D B N L S E O H O R S
E N P A Y B W N U E N D U T
S T L Y S T O I R B N C S E
S A N O O M H Y T U E F E R
I E X L W M T I O H S H D D
O H U D A R E F S N A R T A
N C E H S S R E V I R D O Y
A T H E D R I V E R W V Z E

Inspiration 14

WHAT MAN

ACTUALLY

NEEDS IS NOT

A TENSIONLESS

STATE BUT

RATHER the

STRIVING and

STRUGGLING

FOR SOME

GOAL WORTHY

OF HIM. WHAT

HE NEEDS IS

NOT THE

DISCHARGE of

TENSION AT

ANY COST,

BUT THE

CALL OF a

POTENTIAL

MEANING

WAITING to

be FULFILLED

BY HIM.

(VICTOR

FRANKL)

```
D M Q P O T E N T I A L A A Y
G N I V I R T S T A T E B U T
M S Y H I K O F H I M W H A T
Z I E G Y C L M F O R S O M E
S S G A Y B T R R M R T E Y Q
T D R N X I A O B W A A F H N
R E A H P N Y U R N N C U T E
U E H N K O T Y O I A T L R E
G N C L A T J I N L R U F O D
G E S P H M S G L Q E A I W S
L H I E N N T O L N H L L L I
I B D H E K F A I G T L L A S
N O T T H E H T H T A Y E O N
G F Z G N I T I A W R U D G O
S S E L N O I S N E T A C X T
```

Inspiration 15

NEITHER THE

CLAMOR OF

THE MOB NOR

THE VOICE

OF POWER

WILL EVER

TURN ME

BY THE

BREADTH OF A

HAIR FROM

THE COURSE I

MADE OUT

FOR MYSELF,

GUIDED BY

SUCH

KNOWLEDGE

AS I CAN

OBTAIN AND

CONTROLLED

and DIRECTED

BY A SOLEMN

CONVICTION

OF RIGHT AND

DUTY.

(ROBERT

LA FOLLETTE)

```
K Z M T R E B O R Y W Y Q T O V
N W O X U W S N E B I T Y J C I
O D R F V S A Z W D L U C Z C E
W R F P R C C E O E L D O B L S
L E R D I I H G P D E E N R A R
E H I S F T G O F I V T T E M U
D T A L Y L S H O U E C R A O O
G R H B A U E B T G R E O D R C
E E J E C F T S Y A R R L T O E
A H Y H V A O U Y B N I L H F H
O T A S I O Y L R M A D E O U T
C I I N V M I C L N R W D F Y J
I E A D Z Z Z C T E M O U A X Z
O N R O N B O M E H T E F J K E
D S Q E S C O N V I C T I O N I
W V N N M E L O S A Y B E D S C
```

Inspiration 16

WHEN

YOU'RE

PLAYING

AGAINST A

stacked DECK,

COMPETE

EVEN

HARDER.

SHOW the

WORLD

HOW MUCH

YOU'LL FIGHT

FOR THE

WINNER'S

CIRCLE. IF

YOU DO,

SOMEDAY THE

CELLOPHANE

WILL CRACKLE

off a FRESH

PACK, ONE

that BELONGS

TO YOU, and

THE CARDS

WILL BE

STACKED IN

YOUR FAVOR.

(PAT RILEY)

E R S M G A E T E P M O C V
N O O S N T H C U M W O H S
A V M R I S F O R T H E V W
H A E E Y N V I C P E B I I
P F D N A I U T E J N L K L
O R A N L A C O S L L Q C L
L U Y I P G P T Y B C S E C
L O T W F A A A E O D R D R
E Y H R C C W L T R T D I A
C L E K K O O H A R D E R C
A S O E R N E C L L I F Z K
H N D L G V E R U O Y L Z L
E I D S E H Y O U D O M E E
N M B N T H G I F L L U O Y

MY MOTHER

TOLD ME I

WAS BLESSED,

and I HAVE

ALWAYS taken

HER WORD for

IT. BEING

BORN OF —

or REIN-

CARNATED

FROM

— ROYALTY IS

NOTHING like

BEING BLESSED.

Royalty IS

INHERITED

from ANOTHER

HUMAN BEING,

BLESSEDNESS

COMES from

GOD.

(DUKE

ELLINGTON)

```
S U W L V J G H D O G Z D N
S M M P R R U E A W N W E V
E M Y D G N I E B T I A T H
N V O M S Y A W L A E S I T
D J G R O Y V C I S B B R S
E I N F F T F S I J N L E E
S A E N O O H Y A O A E H L
S N V M E N T E T L M S N L
E O M V D L R H R S U S I I
L T A U A L I O E W H E S N
B H K Y A N O M B T O D I G
I E O P G M O T B U X R S T
S R E I N C A R N A T E D O
D E S S E L B G N I E B F N
```

Inspiration 18

LYING in bed

just BEFORE

GOING TO

SLEEP is the

WORST time

for ORGANIZED

THINKING; IT

is THE BEST

TIME FOR

FREE

THINKING.

IDEAS

DRIFT LIKE

CLOUDS IN

AN UNDECIDED

BREEZE,

TAKING

FIRST

THIS

DIRECTION

AND THEN

THAT.

(E.L.

KONIGSBURG)

W	E	R	O	F	E	B	E	H	D	T	H	A	T
E	P	C	T	Z	C	B	A	P	E	H	M	T	G
M	E	B	M	E	C	H	N	Q	D	I	E	H	C
F	D	R	L	Z	B	T	D	L	I	N	L	I	L
E	R	O	F	E	M	I	T	O	C	K	K	N	O
F	K	B	A	E	C	H	H	R	E	I	O	K	U
T	R	I	U	R	E	T	E	G	D	N	N	I	D
F	A	Q	L	B	X	L	N	A	N	G	I	N	S
I	F	K	E	T	Y	C	W	N	U	I	G	G	I
R	E	S	I	I	F	O	Y	I	N	D	S	I	N
S	T	X	N	N	R	I	M	Z	A	E	B	T	P
T	O	G	G	S	G	B	R	E	I	A	U	H	M
N	O	I	T	C	E	R	I	D	V	S	R	I	Q
S	L	E	E	P	O	T	G	N	I	O	G	S	C

Inspiration 19

Where PEOPLE

WISH TO

ATTACH, they

SHOULD

ALWAYS BE

IGNORANT.

TO COME

WITH A

WELL-

INFORMED

MIND, IS to

COME WITH an

INABILITY of

ADMINISTERING

TO THE

VANITY of

OTHERS,

WHICH A

SENSIBLE

PERSON would

ALWAYS WISH

to AVOID.

(JANE AUSTEN)

```
N N A U I I U L O N O S R E P
K A H T E M T T W Y I Y W E
O L C N T H V O H Y D M N O
T W I W S A A A C U N V E P
H A H I Y Y C O N O I Q T L
E Y W T E I M H D I M J S E
R S R H K E N I C J T E U E
S B S A W C O A M Q W Y A F
H E P I G V E L B I S N E S
O E T N A R O N G I B O N T
U H H S I W S Y A W L A A W
L S F T O S U P L Z P I J M
D E M R O F N I L L E W T V
G N I R E T S I N I M D A Y
```

Inspiration 20

IT'S

SURPRISING

HOW MANY

PERSONS GO

THROUGH LIFE

without EVER

RECOGNIZING

THAT THEIR

feelings TOWARD

other PEOPLE

ARE

LARGELY

DETERMINED

BY THEIR

FEELINGS

toward

THEMSELVES,

AND IF

YOU'RE NOT

COMFORTABLE

WITHIN

YOURSELF,

YOU CAN'T BE

comfortable WITH

OTHERS.

(SYDNEY J.

HARRIS)

```
S R I E H T Y B W D R A W O T
R I E H T T A H T L U W Z J M
F T R E Z W I T H O T H E R S
E H H R Y K T O N E R U O Y U
B R O E A Y L E G R A L D O R
T O E W M H R E E O J N E U P
N U Q C M S K V G U E S T R R
A G W T O A E S H Y H G E S I
C H Z I N G N L J M Z N R E S
U L I D T O N Y V H Z I M L I
O I I K S H D I T E R L I F N
Y F R R S T I O Z S S E N N G
X E E V J Q N N V I I E E J T
J P E O P L E A R E N F D C K
C O M F O R T A B L E G F B Y
```

Inspiration 21

THERE'S A

LOT TO

BE SAID

for DOING

what YOU'RE

NOT SUPPOSED

TO DO, AND the

REWARDS OF

doing WHAT

you're SUPPOSED

TO

do ARE MORE

SUBTLE and

TAKE LONGER

TO BECOME

APPARENT,

which MAYBE

MAKES IT

LESS

ATTRACTIVE.

BUT YOUR

LIFE IS THE

BLUEPRINT

YOU MAKE

AFTER THE

BUILDING

IS BUILT.

(RICHARD

FORD)

```
E F U G B U I L D I N G A B
N H B R E G N O L E K A T L
L O T T O T A S E R E H T U
M D T R X O D R A H C I R E
Z E E S E F R O D H S I A P
B W H B U T O Y I E Q P C R
E U H T Y P F S K N P C T I
S I T A S A P A D A G O I N
A S O Y T I M O R R B B V T
I B D D O U E E S E A M E E
D U O I O U N F C E M W I Q
Z I A Y N T R O I A D O E F
F L N G R J M E M L L T R R
M T D S S E L T B U S S O E
```

Inspiration 22

I HAVE
ENJOYED
GREATLY the
SECOND
BLOOMING
THAT COMES
WHEN YOU
FINISH the
LIFE OF the
EMOTIONS and
of PERSONAL
RELATIONS
and SUDDENLY
FIND — AT
THE AGE of
FIFTY, SAY —
THAT A
WHOLE NEW
LIFE HAS
OPENED
BEFORE YOU,
FILLED with
THINGS YOU
CAN THINK
about, STUDY,
OR READ
ABOUT...
IT IS AS
if a FRESH
SAP OF
IDEAS and
THOUGHTS
was RISING
IN YOU.
(AGATHA
CHRISTIE)

```
L T U O B A C A N T H I N K S F
X S O R R E A D F R E S H E T I
G N Y Z G W E N E L O H W C H N
P O E Y N S U D D E N L Y A G D
E I R A I E I S M C A O V P U A
R T O S M M E R A H G E H F O T
S A F Y O O H G T H C R S O H E
O L E T O C P A R H E O I E T W
N E B F L T G E R E K F N F F D
A R O I B A Q I N I A P I I E A
L H Z F N H S T H E S T F L N S
E G A E H T F I R X D I L V J T
U B T H I N G S Y O U I N Y O U
L I D E A S S A P O F J W G Y D
D Q D N O C E S N O I T O M E Y
Y M W H E N Y O U A T A H T D C
```

Inspiration 23

THE POLICY

THAT CAN

STRIKE ONLY

WHEN THE

IRON IS HOT

WILL BE

OVERCOME BY

that

PERSEVER-

ANCE,

WHICH...CAN

MAKE THE

IRON HOT BY

STRIKING;

AND HE THAT

CAN ONLY

RULE THE

STORM MUST

YIELD

TO HIM

WHO CAN BOTH

RAISE AND

RULE IT.

(C.C. COLTON)

```
C C S T O R M M U S T R B T H
Y L N O E K I R T S Y U D H B
M E G N I K I R T S W L M S K
N W I L L B E E O H E E A V H
D A C N D H H L I N H I K A N
N V C N D T T C C J I T E O X
A W L T E L H O P T M S T A A
E W S L A C E K B L L L H K E
S Z U B A H C I J N O J E O H
I R O N H O T B Y C A D V H T
A T H E P O L I C Y T C R V N
R Y L N O N A C N H Z B O K E
F Y B E M O C R E V O E D H H
E C N A R E V E S R E P T F W
K S A N D H E T H A T O H I M
```

Inspiration 24

FOR WOMEN,
POETRY IS
NOT A
LUXURY. IT
IS A VITAL
NECESSITY OF
OUR EXISTENCE.
IT FORMS THE
QUALITY OF
THE LIGHT
WITHIN WHICH
WE PREDICATE
OUR HOPES
AND DREAMS
TOWARD
SURVIVAL AND
CHANGE,
FIRST MADE
INTO
LANGUAGE,
THEN INTO
IDEA, THEN
INTO MORE
TANGIBLE
ACTION.
(AUDRE LORDE)

```
F H Q R O W I T H I N W H I C H Y
O F O R W O M E N O V J A A W D F
X W L I T F O R M S T H E I N I E
I N T O L A N G U A G E P A N R O
E T A C I D E R P E W K L O O D U
E K I S A V I T A L Z A I M R F R
L Z A T O N H D C Z V T O A B O E
B E S T Y E D G E I C T W C A Y X
I Y F O L C I D V A N O S L U T I
G K X I U E H R R I T E D C D I S
N S G S X S U A N E P H M E R L T
A H U B U S R E N O A V E D E A E
T J H X R I H Q H G W M H N L U N
I R U N Y T T R P R E N S Z O Q C
N D Y N I Y U W B M Q Z G T R C E
X V T E T O S I Y R T E O P D E T
E N X W Z F I R S T M A D E E Q T
```

Inspiration 25

ONE OF the

ANNOYING

THINGS about

BELIEVING in

FREE WILL

and INDIVIDUAL

RESPONSIBILITY

IS THE

DIFFICULTY

of FINDING

SOMEBODY TO

BLAME your

PROBLEMS on.

AND WHEN you

DO FIND

SOMEBODY, IT'S

REMARKABLE

how OFTEN

his PICTURE

TURNS up on

your DRIVER'S

LICENSE.

(P.J. O'ROURKE)

```
R K B B E L I E V I N G J L O
E F T R O L I C E N S E L N P
S N J S I F B L A M E I E D J
P N E H W D N A F I W O I R O
O S N E T F O I K E F F K I R
N G L S A K N F E R F J N V O
S N P O O D P R I I A D X E U
I I Q I I M F R C N I M Y R R
B Y I N C M E U O V D L E S K
I O G Z N T L B I B Z U F R E
L N C Q H T U D O S L Z G Q Y
I N A I Y C U R L D T E W M X
T A N V Y A U B E D Y H M T X
Y G G W L W A S N R U T E S B
S O M E B O D Y I T S D O Y D
```

Inspiration 26

IF YOU

WOUND

THE TREE

IN ITS

YOUTH the

BARK WILL

QUICKLY

COVER the

GASH; BUT

WHEN THE

TREE IS

VERY OLD,

PEELING

THE BARK

OFF, AND

LOOKING

CAREFULLY,

YOU WILL

SEE THE SCAR

THERE

STILL.

ALL THAT is

BURIED is

NOT DEAD.

(OLIVE

SCHREINER)

```
L L I W K R A B E H T E M V
E V I L O P E N Q U E B G E
T X S I E E R T B R I N B R
G C T X X X C H T S I O Y Y
C N X A L W S E T K S T L O
B W I V H A H I O C E D K L
U H F L G T L O H A E E C D
R E Y L E L L R D R T A I I
I N O O L E E L N E H D U N
E T U D U I P G A F E P Q I
D H H X N T W H F U S F V T
Q E K E Q U H U F L C L N S
C J R L R T O L O L A X O W
J P C O V E R W Q Y R A E Y
```

Inspiration 27

NOW, A

CAUTIOUS

MOUNTAINEER

SELDOM

TAKES

A STEP ON

UNKNOWN

GROUND WHICH

SEEMS AT ALL

DANGEROUS

THAT HE

CANNOT

RETRACE IN

CASE HE

SHOULD BE

STOPPED BY

UNSEEN

OBSTACLES

AHEAD. THIS

IS THE

RULE OF

mountaineers

WHO LIVE LONG.

(JOHN

MUIR)

```
R I F O E L U R J E H T K K
R A T T O N N A C B C B W D
E U W A X O P A Q D I N D W
E S K O K P S G S L H I A H
N E E Y N E E S N U W E N O
I E S L H T S H J O D C G L
A M T E C S I O E H N A E I
T S O S A A H H X S U R R V
N A P T U N T B Y E O T O E
U T P H T S D S W L R E U L
O A E A I G A N B D G R S O
M L D T O C E R P O I Q P N
H L B H U H H L L M U I R G
T X Y E S G A U N K N O W N
```

Inspiration 28

FOR A LONG
TIME IT
HAD SEEMED
TO ME
THAT LIFE
was ABOUT
TO BEGIN —
REAL LIFE.
BUT THERE
was ALWAYS
SOME OBSTACLE
in THE WAY.
SOMETHING to
BE GOT
THROUGH
FIRST, SOME
UNFINISHED
BUSINESS,
TIME STILL
to be SERVED,
A DEBT
to be PAID.
THEN LIFE
WOULD BEGIN.
AT LAST
it DAWNED
ON ME
THAT THESE
OBSTACLES
were MY LIFE.
(FR. ALFRED
D'SOUZA)

A X N I G E B D L U O W D W T L
L E A N I G E B O T J C E Y P I
K F L W Y A N S B D O T V T A K
G I W W A T L A S T L M R O I S
E L A E W H A D S E E M E D D J
L Y Y M E I U N F I N I S H E D
C M S O H W Q U A O Q I F A A Q
A O B S T A C L E S R R S W C T
T G T T H H Q E O F A A N U I H
S T B S A Q A M R L I E L M B R
B O E R T R E T F E D L E O L O
O G D I T T I R L X H S L L N U
E E A F H M E F S I T T O A D G
M B X I E D N W V I F N T U E H
O D N I S V A H L A M E E U Z R
S G T W E F I L N E H T U O B A

Inspiration 29

OUR DEEDS

DETERMINE US,

AS MUCH

AS WE

DETERMINE

   OUR deeds;

AND UNTIL

WE KNOW

WHAT HAS

BEEN OR

WILL BE

the PECULIAR

COMBINATION

OF OUTWARD

WITH INWARD

FACTS,

WHICH

CONSTITUTE A

MAN'S

CRITICAL

ACTIONS,

IT WILL

BE BETTER

NOT TO

THINK

OURSELVES

WISE ABOUT

his CHARACTER.

(GEORGE

ELIOT)

```
O W O B E B E T T E R A W V P
N I U N O I T A N I B M O C R
D T R U O L L I T N U D N A C
R H D C H C I H W J E O I S D
A I E Y O K N I H T T L T W E
W N E I J N S W E T U B W E T
T W D W C E S R O C N E I H E
U A S G A H M T E R L E L S R
O R S B E I A P I I E N L N M
F D O M N O W R O T W O B O I
O U A E U E R T A I U R E I N
T N U R B C V G R C V T T T E
S S T C A F H N E A T K E C O
O U R S E L V E S L G E F A U
S A H T A H W O N K E W R S R
```

Inspiration 30

THERE is an

age IN LIFE

WHEN WE

MUST MAKE

A CLEAN

SWEEP

OF ALL

the ADMIRATION

and RESPECT

GOT AT

SECOND-hand,

AND DENY

EVERYTHING —

TRUTH AND

UNTRUTH —

everything WHICH

WE HAVE

NOT OF

OURSELVES

KNOWN

FOR TRUTH.

(ROMAIN

ROLLAND)

```
I I N L I F E G R Z V Z X Q
Q X G N I H T Y R E V E L G
A O Y D N A L L O R V C N U
C S R Y N E D D N A U O U N
L S K O F A L L H S I W M T
E E E M M K H E Y T P U R R
A C H V Z A W T A P S F P U
N O C X L H I R U T O F J T
T N I J E E I N M R R B L H
A D H N I M S A T I T P R A
T P W G D W K R E S P E C T
O E G A E E U C U X E J W Y
G E R E H T H K N O W N Q R
X P P R H Z A G F O T O N E
```

HAPPINESS

IN THIS

WORLD,

WHEN IT

COMES, COMES

INCIDENTALLY.

MAKE IT

THE OBJECT

of PURSUIT,

AND IT

LEADS us a

WILD-GOOSE

CHASE, and

IS NEVER

ATTAINED.

FOLLOW SOME

OTHER object

AND VERY

POSSIBLY

WE MAY

FIND

THAT WE

HAVE

CAUGHT

happiness

WITHOUT

DREAMING

OF IT.

(NATHANIEL

HAWTHORNE)

```
O Y Q X V J T H E O B J E C T
D T S E T I U S R U P U S C S
Z N H M N N T U S S A Y O A E
G H I E B T A U A D P A O U M
P A H F R H N T O A A M G G O
O W A O C I D F H H M E D H C
S T P L A S I A F A T W L T S
S H P L T T T W K H N I I Z E
I O I O T A L E A R S I W O M
B R N W A J I T C N W C E M O
L N E S I T W Z E H D O S L C
Y E S O N E L V A J A V R D P
B B S M E B E V U K F S E L L
V P F E D R E A M I N G E R D
A Q M I N C I D E N T A L L Y
```

Inspiration 32

A STRONG

   NATION,

LIKE A STRONG

PERSON, CAN

AFFORD TO BE

GENTLE,

FIRM,

THOUGHTFUL,

and

RESTRAINED.

IT CAN AFFORD

to EXTEND a

HELPING hand

TO OTHERS.

IT'S A WEAK

NATION, LIKE

A WEAK PERSON,

THAT MUST

BEHAVE

with BLUSTER

and BOASTING

and RASHNESS

AND OTHER

SIGNS OF

INSECURITY.

(JIMMY

CARTER)

K N W Z I T C A N A F F O R D C
K O C O A F F O R D T O B E Z Q
E K I L N O I T A N C T H X D Q
V A G S F Y T I R U C E S N I W
P A S A R E S T R A I N E D T J
E D K T R E B O A S T I N G S R
R N Y J R E H N Y H G L I I A E
S E F M H O D T O Q G G G S W T
O T M A M O N U O N M N E S E S
N X V R T I G G I O S C N E A U
C E K H I H J P N O T B T N K L
A A E L T F L V F A X L L H E B
N R R F J E Y J V R T C E S A I
Q V U T H A T M U S T I S A F Y
D L I K E A S T R O N G O R W A
S L N O S R E P K A E W A N M R

Inspiration 33

THE ONLY

real VOYAGE

of DISCOVERY

CONSISTS not in

SEEING NEW

LANDSCAPES,

BUT IN

HAVING new

EYES, IN seeing

THE UNIVERSE

WITH THE

EYES OF

ANOTHER,

OF HUNDREDS

of OTHERS, in

SEEING THE

HUNDREDS OF

UNIVERSES

THAT EACH of

THEM SEES.

(MARCEL

PROUST)

```
M H U N D R E D S O F G N S
Y C C K I I G Y G K A U I E
L A S E S R E V I N U W T E
N E T C C E S E O K I P U S
O T H U O Q E T Y W Q V B M
E A E T V F H I I E S W A E
H H U V E E H T N T S I C H
T T N H R Y H U S G L I C T
L E I S Y T E I N H N L N G
E G V S H A S S Y D C E M N
C A E E E N W U O E R N W I
R Y R W O A Y W O F T E V E
A O S C S G B C V R V L D E
M V E L A N D S C A P E S S
```

Inspiration 34

I am NOT YET

SO LOST in

LEXICOGRAPHY

as to FORGET

THAT WORDS

  ARE

the DAUGHTERS

of EARTH, and

that THINGS

are THE SONS

of HEAVEN.

LANGUAGE is

ONLY THE

INSTRUMENT

of SCIENCE,

AND WORDS

ARE BUT the

SIGNS OF

IDEAS.

(SAMUEL

JOHNSON)

```
U N T J O H N S O N F F X S
L Q E A R T H A O J S C A R
A S G C D Z R T Z M R L I E
N T R E N E Y S N O S E H T
G A O P B E N N I X Q U E H
U L F U T I I D K G X M L G
A N T K M T E C T C N A G U
G E U H I A V J S H X S V A
E V A V S F G E Z O I Y O D
G A N D W O R D S B L N Y F
L E P C B E H T Y L N O G C
Y H P A R G O C I X E L S S
U D E R A S D R O W T A H T
I N S T R U M E N T Y T V T
```

Inspiration 35

I LOOKED ON

CHILD

REARING NOT

ONLY AS A

WORK OF LOVE

AND DUTY BUT

AS

A PROFESSION

THAT WAS

FULLY AS

INTERESTING

AND

CHALLENGING

AS ANY

HONORABLE

PROFESSION IN

THE WORLD

AND ONE THAT

DEMANDED THE

BEST THAT I

COULD BRING

TO IT.

(ROSE

KENNEDY)

```
G N I G N E L L A H C D N A G
F N N R W O R K O F L O V E N
U I T N O I S S E F O R P A I
L N E A E Y B N W L S F S D R
L O R N H B D Y N A S A T N B
Y I E D T E P E T B Y T O E D
A S S D D S U I N L G D N L L
S S T U E T O D N N E K G B U
F E I T D T H O L K E O N A O
M F N Y N H X A O R J K I R C
I O G B A A X O T E O D R O H
D R S U M T L F O W S W A N I
M P J T E I W W U H A O E O L
B U B A D T T D X X N S R H D
O H G S Y A N D O N E T H A T
```

Inspiration 36

KNOW YOU THE

LAND WHERE

THE LEMON

TREES BLOOM?

IN THE DARK

FOLIAGE THE

GOLD ORANGES

GLOW; A SOFT

WIND HOVERS

FROM THE

SKY, THE

MYRTLE IS

STILL AND

THE LAUREL

STANDS TALL

— DO YOU

KNOW IT

WELL? THERE,

THERE, I

WOULD GO, O

MY BELOVED,

WITH THEE!

(GOETHE)

```
E E H T H T I W O N K B S B G Z
J K W H F J F O L I A G E T H E
V B V S V O B E H T E O G C R I
E U T N T Q S M E W Y L N B R E
H T O C F A W A O Y E O A V K R
T Q I Y M I N U W R Z M R E N E
M Q R E O W L D U O J B O M O H
O L E K K D I A S D L W D O M T
R S N R G R L N E T E G L O E U
F I C O E E A V D L A C O L L O
R E O T H H O D L H B L G B E Y
R L I T L L W T E U O M L S H W
S T X E E O H D G H Y V S E T O
G R F B W E G L N E T P E E Y N
U Y Y E R R M I Q A D N H R K K
Q M M E A M K D N A L L I T S Q
```

THE MAN

WHO IS

ANYBODY

AND WHO DOES

ANYTHING IS

SURELY

GOING

TO BE

CRITICIZED,

VILIFIED,

and

MISUNDER-

STOOD.

THIS IS PART

OF THE

PENALTY for

GREATNESS,

AND

EVERY MAN

UNDERSTANDS,

TOO, THAT

IT IS NO

PROOF

OF GREATNESS.

(ELBERT

HUBBARD)

A	S	O	F	G	R	E	A	T	N	E	S	S	M
H	E	V	E	R	Y	M	A	N	W	H	O	I	S
D	O	O	T	S	R	E	D	N	U	S	I	M	C
B	D	N	A	S	S	E	N	T	A	E	R	G	R
D	O	S	D	N	A	T	S	R	E	D	N	U	I
E	H	F	V	U	Y	N	Z	U	B	B	S	C	T
I	W	O	A	X	P	T	Y	E	R	Y	C	G	I
F	D	O	R	T	R	E	H	B	Q	E	O	H	C
I	N	R	D	E	A	T	N	I	O	I	L	S	I
L	A	P	B	B	F	H	E	A	N	D	V	Y	Z
I	M	L	M	O	D	Y	T	G	L	G	Y	G	E
V	E	E	I	T	I	S	N	O	Q	T	I	Q	D
W	H	U	B	B	A	R	D	N	O	H	Y	S	R
G	T	R	A	P	S	I	S	I	H	T	W	N	X

Inspiration 38

SECURITY IS

MOSTLY A

SUPERSTITION.

IT DOES NOT

EXIST IN

NATURE, NOR

DO THE

CHILDREN OF

MEN AS A

WHOLE

EXPERIENCE

IT. AVOIDING

DANGER IS NO

SAFER IN THE

LONG RUN

THAN

OUTRIGHT

EXPOSURE.

LIFE IS

EITHER A

DARING

ADVENTURE,

OR NOTHING.

(HELEN

KELLER)

```
N E F N I J R O N E R U T A N
O H O O E M O S T L Y A H Q N
I T N S C T E X I S T I N A U
T N E I N H V N Y H I F F L R
I I R Y E G A E A F M E I L G
T R D T I I E N A S E T F O N
S E L I R R I R I R A L N I O
R F I R E T M T U V E S W R L
E A H U P U D T O S I H N B U
P S C C X O N I G R O O T H V
U R S E E E D N E L T P E I S
S M Z S V I I G E H F L X I E
A V N D N R N M I R E L L E K
G O A G A A S N N N E H T O D
T F K D D E G P S X O U G J Q
```

Inspiration 39

The REASON

THAT FICTION

IS MORE

INTERESTING

THAN ANY

OTHER form

of LITERATURE

to THOSE of

US WHO

REALLY LIKE

TO STUDY

PEOPLE, is

THAT IN

FICTION THE

AUTHOR can

REALLY TELL

the TRUTH

WITHOUT hurting

ANYONE and

without

HUMILIATING

HIMSELF too

MUCH.

(ELEANOR

ROOSEVELT)

```
I T G H U M I L I A T I N G
H T U R T U O H T I W E B O
R F I C T I O N T H E R L H
N O S A E R O H T U A U P W
I N T E R E S T I N G T U S
X S D R R O H H Y M O A I U
E F M E O A O O G S S R D N
P S H O N N N S T H M E W Y
E T O A R E A U E U U T L K
O X N H K E D E C V V I N F
P Y E W T Y U H L Y E L K Z
L E K I L Y L L A E R L O Z
E P N O I T C I F T A H T R
E C N S R E A L L Y T E L L
```

Inspiration 40

EVERY

IDEA

IS ENDOWED

OF ITSELF

WITH

IMMORTAL LIFE,

LIKE A

HUMAN

BEING.

ALL CREATED

FORM, EVEN

THAT WHICH

IS CREATED

BY MAN, IS

IMMORTAL. FOR

FORM IS

INDEPENDENT

OF MATTER:

MOLECULES

DO NOT

CONSTITUTE

FORM.

(CHARLES

BAUDELAIRE)

```
C A E D I S E N D O W E D M
O H C I H W T A H T H E E T
N D O N O T L S F U I F R N
S E C N A U E M M S M I I E
T T B Z E L H A C D M L A D
I A Q Y R V N R F S O L L N
T E K A M A E L F I R A E E
U R H H E A E M Y M T T D P
T C Z K T S N R R R A R U E
E L I E T I E I S O L O A D
F L D I M V W D S F F M B N
O A F S E L U C E L O M L I
R O F M A T T E R T R I A B
M B E I N G Y B C H X B F B
```

Inspiration 41

It SEEMS to ME THAT THERE must BE AN ECOLOGICAL LIMIT TO THE NUMBER OF PAPER PUSHERS the EARTH can SUSTAIN, and that HUMAN CIVILIZATION WILL COLLAPSE WHEN THE NUMBER OF, SAY, TAX LAWYERS EXCEEDS the WORLD'S POPULATION of FARMERS, WEAVERS, FISHER-PERSONS, and PEDIATRIC NURSES. (BARBARA EHRENREICH)

```
L T H E N U M B E R O F Z Z S
S Z P O P U L A T I O N N D J
M U S R E M R A F N Z A E Q C
B E S O T T I M I L M E C W I
K A T T H X R L S U C H O E V
R W R H A Z F K H X O R L A I
W H O B A I B P E A L E O V L
I E F R A T N E R B L N G E I
L N P P L R A D P E A R I R Z
L T A U A D A I E A P E C S A
T H P S W C S A R N S I A C T
B E E H Y Q E T S C E C L V I
O R R E E T E R O U O H K K O
M E Z R R E M I N S E S R U N
J F S S S X S C S A Y T A X V
```

Inspiration 42

WE LEARN to

use LANGUAGE

well, SPOKEN

or WRITTEN,

ONLY WHEN we

USE IT for a

PURPOSE, OUR

PURPOSE, TO

SAY SOMETHING

WE THINK

IS IMPORTANT,

to PEOPLE we

WANT TO say

IT TO, or to

MAKE

SOMETHING

HAPPEN THAT

WE WANT

TO HAPPEN.

(JOHN HOLT)

```
H  M  M  Y  T  N  A  W  E  W  E  U  O  I
A  G  M  L  A  N  G  U  A  G  E  U  G  F
P  I  A  G  F  J  B  Q  Q  P  E  G  N  A
P  S  K  P  K  W  R  I  T  T  E  N  I  U
E  I  E  E  W  E  L  E  A  R  N  S  H  O
N  M  S  J  L  E  P  L  B  P  P  O  T  N
T  P  O  W  O  P  T  Q  A  O  T  E  E  L
H  O  M  A  U  H  O  H  K  T  S  D  M  Y
A  R  E  N  S  Z  N  E  I  O  P  E  O  W
T  T  T  T  E  H  N  H  P  N  K  K  S  H
T  A  H  T  I  V  U  R  O  S  K  D  Y  E
U  N  I  O  T  J  U  N  K  L  F  O  A  N
Z  T  N  N  E  P  P  A  H  O  T  A  S  T
P  F  G  T  R  U  O  E  S  O  P  R  U  P
```

Inspiration 43

A CHILD'S

WORLD IS

FRESH and

NEW AND

BEAUTIFUL,

FULL OF

WONDER and

EXCITEMENT.

It IS OUR

MISFORTUNE

THAT FOR

MOST OF us

that CLEAR

eyed VISION,

THAT TRUE

INSTINCT for

WHAT IS

BEAUTIFUL AND

AWE

INSPIRING,

is DIMMED

AND EVEN

lost BEFORE

WE REACH

ADULTHOOD.

(RACHEL

CARSON)

```
B E A U T I F U L F U L L O F
B E A U T I F U L A N D A W E
E E A N U H I N S P I R I N G
C X F K D J A D U L T H O O D
M C E O R E P T K T H K L G I
I I A O R Y V O T S N Y E R M
S T A D O E A E E R X Y H S M
F E S J F O C R N T U J C S E
O M O S T O F C C M V E A D D
R E S Z A V V N N I C D R L R
T N R I H M I E S V J E C I A
U T U P T T W I D B D U Q H E
N Z O H S A O C B N Q D F C L
E D S N N N H R O N O S R A C
F S I D L R O W E R E A C H N
```

Inspiration 44

FLOWERS *have*

AN EXPRESSION

of COUNTE-

NANCE

AS MUCH *as*

MEN OR

ANIMALS.

SOME SEEM *to*

SMILE; *some*

HAVE A *sad*

EXPRESSION;

SOME

ARE PENSIVE

AND DIFFIDENT;

OTHERS *again*

ARE PLAIN,

HONEST AND

UPRIGHT,

LIKE THE

BROAD-FACED

SUNFLOWER

AND THE

HOLLYHOCK.

(HENRY

WARD

BEECHER)

```
R T R Z L Z K D E B P Q U J N
E A E V A H T E X A N D T H E
W X S B K H M C P N K B A G A
O R S R G C L A R E P L A I N
L D E I E N N F E X K C S C D
F I R H I H L D S P S D M O D
N P K A C O T A S R H N U U I
U G J E W E N O I E O A C N F
S G T E T I E R O S L T H T F
M E R Z M H O B N S L S E E I
I S Y A C N E X S I Y E N N D
L Z L D E T Z J O O H N R A E
E S O M E S E E M N O O Y N N
V R C C W Q S P E A C H M C T
E V I S N E P E R A K J Y E M
```

Inspiration 45

No POSSESSION

CAN SURPASS,

OR EVEN

EQUAL A GOOD

LIBRARY, TO

THE LOVER

OF BOOKS.

HERE ARE

TREASURED UP

FOR HIS

DAILY USE

and

DELECTATION,

RICHES WHICH

INCREASE BY

BEING

CONSUMED,

and PLEASURES

THAT NEVER

CLOY.

(JOHN

ALFRED

LANDFORD)

```
O Y C A N S U R P A S S Y S
G O C Y B E S A E R C N I G
G L A Q R E R A E R E H H J
H C I H W S E H C I R D S N
D E L E C T A T I O N R E O
A Q I A S O E L F L E W R I
I U B X N O N B F V W E U S
L A R E Y D O S E R V Z S S
Y L A Y I O F N U E E N A E
U A R X K N T O N M H D E S
S G Y S D A G D R O E N L S
E O T A H L R U J D D D P O
Q O O T R E A S U R E D U P
H D E F R N R E V O L E H T
```

Inspiration 46

I HOPE TO

REFINE

MUSIC, study

IT, TRY to

FIND SOME

AREA THAT I

can't UNLOCK;

THESE can't

be THE ONLY

NOTES IN THE

WORLD,

THERE'S got

to be OTHER

NOTES SOME

PLACE, in

some

DIMENSION,

BETWEEN the

CRACKS on

the PIANO

KEYS.

(MARVIN GAYE)

R	S	E	D	N	E	E	W	T	E	B	J	N
Z	E	K	Y	Y	O	N	X	Y	R	D	O	A
Q	R	F	D	A	I	T	L	K	F	T	R	Z
K	E	F	I	T	G	N	E	O	E	O	F	E
C	H	E	T	N	O	N	N	S	O	Y	M	I
O	T	R	A	E	E	A	I	E	S	O	S	H
L	Y	B	H	F	I	N	T	V	S	O	L	O
N	U	T	T	P	T	G	E	D	R	E	M	P
U	C	Q	A	H	E	O	N	W	I	A	H	E
D	I	M	E	N	S	I	O	N	M	Y	M	T
K	S	M	R	H	F	R	E	R	E	H	T	O
I	U	J	A	P	L	A	C	E	T	I	F	S
Z	M	C	T	D	S	S	K	C	A	R	C	K

Inspiration 47

Did YOU EVER

MEET A

GARDENER

who, HOWEVER

FAIR HIS

GROUND, was

ABSOLUTELY

CONTENT and

PLEASED?

IS THERE

not ALWAYS A

TREE TO be

FELLED or a

BED TO be

TURFED? Is

THERE NOT

EVER SOME

GRAND

MISTAKE to

be REMEDIED

next SUMMER?

(SAMUEL

HOLE)

X	N	R	O	N	U	S	W	W	A	T	E	E	M
A	C	G	E	T	O	N	E	R	E	H	T	S	I
B	S	S	B	N	F	D	Q	L	E	U	M	A	S
S	I	U	E	R	E	V	E	U	O	Y	Q	B	T
O	K	M	D	D	G	D	D	I	Y	B	P	C	A
L	R	M	T	M	E	N	R	A	D	C	V	L	K
U	E	E	O	X	U	S	D	A	O	E	W	B	E
T	V	R	S	O	G	N	A	N	G	A	M	F	V
E	E	T	R	E	A	A	T	E	Y	I	Z	E	E
L	W	G	L	R	A	E	O	S	L	M	I	L	R
Y	O	O	G	R	N	X	A	V	P	P	S	V	S
D	H	M	D	T	R	E	E	T	O	B	B	B	O
G	S	I	H	R	I	A	F	E	L	L	E	D	M
X	O	T	G	S	P	D	E	F	R	U	T	T	E

Inspiration 48

IT TAKES

more COURAGE

to REVEAL

INSECURITIES

THAN TO

HIDE THEM,

more STRENGTH

to RELATE to

PEOPLE than

to DOMINATE

THEM, MORE

"MANHOOD" to

ABIDE BY

THOUGHT-out

PRINCIPLES

RATHER than

BLIND

REFLEX.

TOUGHNESS is

in THE SOUL

and SPIRIT,

NOT IN

MUSCLES and

an IMMATURE

MIND.

(ALEX KARRAS)

```
M S E I T I R U C E S N I O
U E Z F U W E R O M M E H T
S L H I D E T H E M R H E N
C P K L A E V E R U A M T A
L I D L F L F F T C R A A H
E C T N D T E A E O E N N T
S N O T I N M X V U H H I H
L I C R A M I V K R T O M O
U R I Z I K D L E A A O O U
O P E O P L E F B G R D D G
S Z Q L M F L S D E Q R B H
E K K Q A E Y B E D I B A T
H X U L X T H T G N E R T S
T O U G H N E S S B B N T X
```

Inspiration 49

I'VE READ

many BOOKS

by ALLEGED

EXPERTS,

EXPLAINING

the BASIS of

HUMOR and

ATTEMPTING

to DESCRIBE

what is

FUNNY AND

WHAT isn't.

I DOUBT if

any COMEDIAN

can HONESTLY

SAY WHY he

IS FUNNY AND

WHY HIS

NEXT-DOOR

NEIGHBOR is

NOT.

(GROUCHO

MARX)

T H J J D E G E L L A T N F
T O Z X P X D H E P O J E N
F U N N Y A N D W H A T I A
E A P P I V E R E A D W G I
X T S A Y W H Y H I S R H D
P T B A U D T O S K O O B E
L E O E X B E T N U S A O M
A M C D U N R S C E S W R O
I P A O H E D H C I S T V C
N T D R P B O U S R L T P D
I I X X X Y V M E H I A L J
N N E X T D O O R Z A B O Y
G G H K Z Q X R D M J T E X
I S F U N N Y A N D J U F N

Inspiration 50

THERE IS ONLY ONE SOLUTION if OLD AGE is NOT TO BE AN ABSURD PARODY of OUR FORMER LIFE, and THAT IS to GO ON PURSUING ENDS that GIVE OUR EXISTENCE A MEANING — DEVOTION to INDIVIDUALS, TO GROUPS or to CAUSES, SOCIAL, POLITICAL, INTELLECTUAL, or CREATIVE WORK.

(SIMONE DE BEAUVOIR)

```
P O L I T I C A L A E C T G
A N U I N O T T O D E R S I
R L A R F D R K E G I E P V
O Y M E F E I N R O D A U E
D O E D B O O V V O E T O O
Y N A R V M R U I N W I R U
S E N U I Y A M G D M V G R
E X I S T E N C E A U E O C
U F N B B K H V Q R U A T A
Z E G A D L O S O C I A L U
S I T A H T H E R E I S H S
W Y N O I T U L O S S D N E
N E N O P U R S U I N G V S
O I N T E L L E C T U A L G
```

Inspiration 51

AS HUMAN

BEINGS, WE

NEED TO

KNOW THAT

WE ARE NOT

ALONE,

THAT WE ARE

NOT CRAZY OR

COMPLETELY

OUT OF OUR

MINDS, THAT

THERE ARE

OTHER PEOPLE

OUT THERE

WHO FEEL AS

WE DO, LIVE

AS WE DO,

LOVE AS WE

DO, WHO ARE

LIKE US.

(BILLY JOEL)

```
E N O L A T O N E R A E W F Y
X M I Z X Y L E T E L P M O C
O T I D O W H O A R E O E H V
D A H N E E D T O A W U L C I
E H S Q D W R W G E E T P G X
W T A H A S H A B W D T O N N
S W W D U S T I K T O H E E O
A O E H U M L H H A L E P W T
E N U E O L A E A H I R R S C
V K K T Y F R N N T V E E G R
O I R J O E E U K K E P H N A
L M O X A F G E Z C N M T I Z
N E C R Z X O Y L D G X O E Y
L V E Z O Z B U Y A F A C B O
X N I J I K T S R I S L D I R
```

Inspiration 52

IT IS WISE

STATES-

   MANSHIP

WHICH

SUGGESTS

THAT IN TIME

OF PEACE WE

MUST PREPARE

FOR WAR, AND

IT IS NO

LESS A WISE

BENEVOLENCE

THAT MAKES

PREPARATION

IN THE HOUR

OF PEACE FOR

ASSUAGING

THE ILLS

THAT ARE

SURE TO

ACCOMPANY

   WAR.

(CLARA

BARTON)

```
E A R O F E C A E P F O S R K
E L S T A T E S M A N S H I P
D R B U O I Y A D U U G E A E
I S A Q G E K M U R H R C L P
T S L P H G L C E S U F N T R
I T Z L E E E T L O G O E H E
S H G E I R O S H A D R L A P
W A N S T E P E T N R W O T A
I T I S I H H T O S H A V I R
S M G A S T A T S I X R E N A
E A A W N V R T C U L A N T T
P K U I O A C H A P M N E I I
G E S S B H J V L R D D B M O
E S S E O F P E A C E W E E N
O K A C C O M P A N Y W A R Q
```

Inspiration 53

MAY YOU

  ALWAYS

HAVE WORK

FOR YOUR

HANDS

TO DO. /

MAY YOUR

POCKETS

HOLD ALWAYS

A COIN

OR TWO. /

MAY THE

SUN SHINE

BRIGHT

ON YOUR

WINDOWPANE. /

May the RAINBOW

BE CERTAIN

TO FOLLOW

EACH RAIN. /

May THE HAND

OF A FRIEND

ALWAYS BE

NEAR YOU. /

AND MAY

GOD FILL

YOUR HEART

WITH

GLADNESS to

CHEER you.

(IRISH

BLESSING)

```
P S D N A H S S E N D A L G P
O M W M G R P O C K E T S I I
D A I A M N T R A E H R U O Y
O Y N Y A R I B Z E F L N H J
T Y D T Y G N S H S O R S O B
L O O H Y I O A S F K U H L E
J U W E O Y N D A E O S I D C
W A P C U D R F F Y L R N A E
O L A T R E R O R I I B E L R
L W N S E I R A R S L Y U W T
L A E H E Y E L H T W L I A A
O Y C N O N Y O U R W R F Y I
F S D U V Y A M D N A O C S N
O B R I G H T K R O W E V A H
T E A C H R A I N B O W I T H
```

Inspiration 54

The ESSENCE

OF OUR

EFFORT to

SEE THAT

EVERY child

has a CHANCE

MUST BE to

ASSURE each

AN EQUAL

OPPORTUNITY,

NOT TO

BECOME EQUAL,

BUT

TO BECOME

DIFFERENT —

to REALIZE

WHATEVER

UNIQUE

POTENTIAL of

BODY, MIND,

and SPIRIT

he OR SHE

POSSESSES.

(JOHN

FISCHER)

```
Y T I N U T R O P P O R P Q
Y U D I F F E R E N T O O W
H B C N A T I R I P S R T Q
M L H H I D O E T S S R E Q
N A A O N M E B E H E A N E
R U N J F B Y S E A N O T F
E Q C E T W S D L C T H I F
H E E S Q E H I O T O V A O
C E U U S U Z A O B A M L R
S M V E W E A S T S V G E T
I O F O U R D L S E V E R Y
F C E U Q I N U C H V K M O
W E H G Z D R T A H T E E S
H B Z W F E S S E N C E R V
```

Inspiration 55

THE

   DEPARTMENT

of JUSTICE

is COMMITTED

to ASKING

one CENTRAL

QUESTION of

EVERYTHING

we DO: WHAT

IS THE RIGHT

THING TO DO?

NOW THAT can

PRODUCE

DEBATE, AND

I WANT it to

be SPIRITED

DEBATE. I

WANT THE

LAWYERS of

AMERICA to

BE ABLE to

CALL ME and

TELL ME:

"JANET, HAVE

YOU LOST

YOUR MIND?"

(JANET RENO)

```
E H T T N A W X S C E N R B H N
J I Q I C O K C O M M I T T E D
W T U I W A N T L C V K T P G O
W H E E A V V L A W Y E R S D X
W E S T E L A R T N E C O O P M
E D T A V C W M D E C I T S U J
L E I B E D U P E Y F G I P I A
B P O E R J O D Y R N F D I S N
A A N D Y A T W O I I T E R T E
E R O N T N S G H R I C B I H T
B T W I H E O T D A P C A T E R
M M T M I T L Q X N T S T E R E
R E H R N H U L Y Q K A E D I N
P N A U G A O Y M I L T A V G O
B T T O A V Y G N E M D N T H X
R R G Y D E T G V F J B D I T Y
```

Inspiration 56

IT IS NOT

THE LEVEL OF

PROSPERITY

THAT MAKES

FOR

HAPPINESS,

BUT THE

KINSHIP OF

HEART TO

HEART AND

THE WAY WE

LOOK AT THE

WORLD. BOTH

ATTITUDES

ARE WITHIN

OUR POWER,

SO THAT A

MAN IS HAPPY

SO LONG AS

HE CHOOSES

TO BE HAPPY,

AND NO ONE

CAN STOP

HIM.

(ALEKSANDR

SOLZHENITSYN)

```
U D N Y S T I N E H Z L O S L T
S N W C K I N S H I P O F N B S
L A O M H E A R T T O E H O U T
K T R B K A L E K S A N D R R U
L R L U T Z P F K N G H M Y P N
C A D T H H Z P D V H I R P P D
E E B T R M A N I S H A P P Y A
S H O H Z E O T O N T C R A I R
O E T E F O W T M T E O K H T E
L C H T N Y H O I A S S O E I W
O H E E A A S T P P K X S B S I
N O W Z T K U G E R R E S O N T
G O A A I D O R E H U U S T O H
A S Y P E J I O U D W O P G T I
S E W S I T H E L E V E L O F N
F S E B Y X I C A N S T O P G D
```

Inspiration 57

WE HAVE

FIVE SENSES

IN WHICH

WE GLORY AND

WHICH WE

RECOGNIZE AND

CELEBRATE,

SENSES THAT

CONSTITUTE

THE SENSIBLE

WORLD FOR

US. BUT

THERE ARE

OTHER SENSES

— SECRET

SENSES, SIXTH

SENSES, IF

YOU WILL —

EQUALLY

VITAL, BUT

UNRECOGNIZED,

and UNLAUDED.

(OLIVER

SACKS)

```
S K C A S W O R L D F O R Z N
O D N A E Z I N G O C E R D B
T T D Z S Y E T A R B E L E C
H U T Y N O L N X C O L Q Z H
E B H O E U S S E N S E S I F
R L E N S W E G L O R Y A N D
S A R L E I A Q L N T J T G D
E T E H V L N I U U P E Z O E
N I A L I L V W B A R F H C D
S V R G F E J S H C L M W E U
E N E N R O U J E I T L C R A
S E T U T I T S N O C M Y N L
Q Y E L B I S N E S E H T U N
S E N S E S T H A T Z Y W U U
N Y S E N S E S S I X T H E Z
```

Inspiration 58

PRESIDENT

EISENHOWER

ONCE TOLD me

that DURING

his MILITARY

CAREER

HE INSISTED

THAT ALL

MAJOR

PROBLEMS BE

BROUGHT to

his ATTENTION.

BUT HE also

INSISTED THAT

WHEN A STAFF

MEMBER

INFORMED him

OF A

PROBLEM, HE

SHOULD at

THE SAME

TIME MAKE

RECOMMENDA-

TIONS

for SOLVING it.

(RICHARD

M. NIXON)

T A H T D E T S I S N I E H N
Y O D Z Y R A T I L I M U T S
I J U R E W O H N E S I E H U
N S U Q T N E D I S E R P A G
F O R E P Q B I N R H R F T N
O L I C A R E E R M O O E A I
R V C A T T O H K B N J U L R
M I H E Q Y T B L A U I A L U
E N A P Z H R E L M M T X M D
D G R S E O M P N E E E H O G
T Z D S U H C N F T M M M E N
Y S A G E B W F C T I S B I N
S M H R D L O T E C N O B E T
E T F F A T S A N E H W N E R
R E C O M M E N D A T I O N S

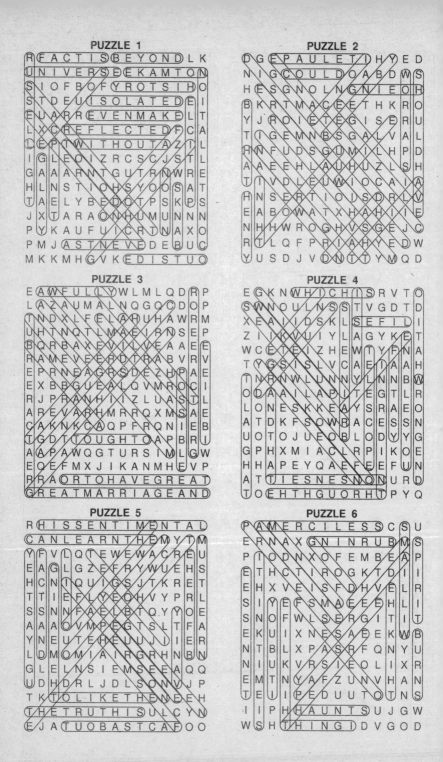

PUZZLE 1

PUZZLE 2

PUZZLE 3

PUZZLE 4

PUZZLE 5

PUZZLE 6

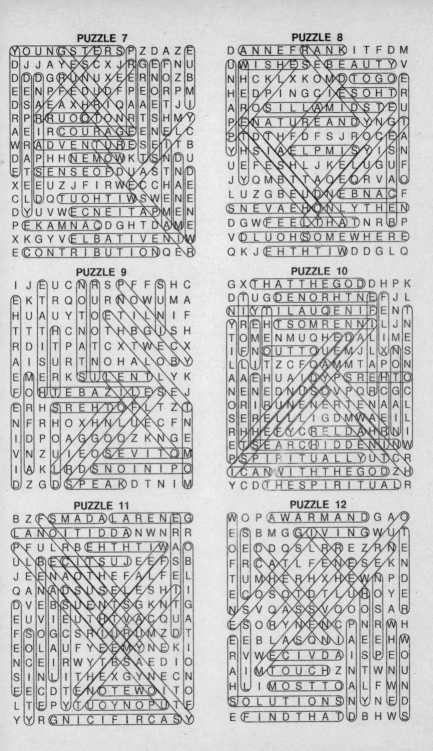

PUZZLE 13

```
C G N I T I A W O U L D R E
O Y J G O V S U Z I W B K G
M M X N S E X A N D S H E N
D E J I A B G X I S F R O M
E L B R V E N O Z D H K O Y
P V A U E E O C T Y Y J E
R I T D B N L S E O H O R S
E N P A Y B W N U E N D U T
S T L Y S T O I R B N C S E
S A N O O M H Y T U E F E R
I E X L W M T I O H S H D D
O H U D A R E F S N A R T A
N C E H S S R E V I R D O Y
A T H E D R I V E R W V Z E
```

PUZZLE 14

```
D M Q P O T E N T I A L A A Y
G N I V I R T S T A T E B U T
M S Y H I K O F H I M W H A T
Z I E G Y C L M F O R S O M E
S S G A Y B T R R M R T E Y Q
T D R N X I A O B W A A F H N
R E A H P N Y U R N N C U T E
U H N K O T Y O I A T L R E E
G N C L A T J I N L R U F O D
G E S P H M S G L Q E A I M S
L H I E N N T O L N H L L L A
I B D H E K F A I G T L L A S
N O T T H E H T H T A Y L E O N
G F Z G N I T I A W R U D G O
S S E L N O I S N E T A C X T
```

PUZZLE 15

```
K Z M T R E B O R Y W Y Q T O V
N W O X U W S N E B I T Y J C I
O D R F V S A Z W D L U C Z C E
W R F P R C C E O E L D O B L S
L E R D I X H G P D E E N R A R
E H I I S F T G O F I V T T E M U
D T A L Y L S H O U E C R A O C
G R H B A U E B T G R E O D R C
E E J E C E T S Y A R R L T O E
A H Y H V A O J Y B N N I L H E H
O T A S I O Y L R M A D E O U T
C I I N V M I L A R W D F Y J
I E A D Z Z Z C T E M O U A X Z
O N R O N B O M E H T F J K E
S Q E S C O N V I C T I O N I
W V N N M E L O S A Y E D S C
```

PUZZLE 16

```
E R S M G A E T E P M O C V
N O O S N T H C U M M O H S
A V M R I S F O R T H E V W
H A E E Y N V I C P E B I I
P F D N A I U T E J N L K L
O R A N L A C O S L L Q C L
L U Y I P G P T Y B C S E C
E Y H R C C W L T R T D I A
C L E K K O O H A R D E R C
A S O E R N E C L L I F Z K
H N D L G V E R U O Y L Z L
E I D S E H Y O U D O M E E
N M B N T H G I F L L U O Y
```

PUZZLE 17

```
S U W L V J G H O O G Z D N
S M M P R R U E A W N M E /
E M Y D G N I E B T I A T H
N V O M S Y A W L A E S I T
D J G R O Y V C I S B B R S
E I N F F T F S I J N L E E
S A E N O O H Y A O A E H L
S N V M E N T E T L M S N L
E O M V D L R H R S U S I I
L T A U A L I O E W H E S I
B H K Y A N O M B T O D U I
I E O P G M O T B U X R S T
S R E I N C A R N A T E D F N
D E S S E L B G N I E B F N
```

PUZZLE 18

```
W E R O F E B E H D T H A T
E P C T Z C B A P E H M T G
M E B M E C H N Q D I E H C
F D R L Z B T D L I N L I L O
E R O F E M I T O C K K N O U
F K B A E C H H R E I O K U D
T R I U R E T E G D N N I D S
F A Q L B X D N A N G I N S S
I F K E T Y C W N U I G G I N
R E S I X F O Y W I N D S I N
S T X N N R I M Z A E B T P
T O G G S G B R E I A U H M C
N O I T C E R I D V S R I C
S L E E P O T G N I O G S C
```

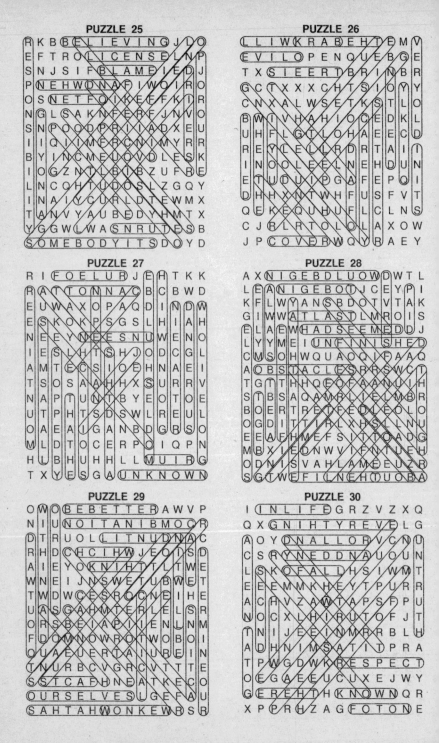

PUZZLE 25

```
R K B B E L I E V I N G J L O
E F T R O L I C E N S E L N P
S N J S I F B L A M E I E D J
P N E H W O N A F I W O I R O
O S N E T F O I K E F F K I R
N G L S A K N F E R F J N V O
S N P O O D P R I I A D X E U
I I Q I I M E R C N I M Y R R
B Y I N C M E U O V D L E S K
I O G Z N T L B I B Z U F R E
N C O H T X U D O S L Z G Q Y
I N A I Y C U R L D T E W M X
T A N V Y A U B E D Y H M T X
Y G G W L W A S N R U T E S B
S O M E B O D Y I T S D O Y D
```

PUZZLE 26

```
L L I W K R A B E H T E M V
E V I L O P E N Q U E B G E
T X S I E E R T B R I N B R
G C T X X X C H T S I O Y Y
C N X A L W S E T K S T L O
B W I V H A H I O C E D K L
U H F L G T L O H A E E C D
R E Y L E L L R D R T A I I
I N O O L E E L N E H D U N
E T U D U I P G A F E P Q I
D H H X N T W H F U S F V T
Q E K E Q U H U F L C L N S
C J R L R T O L O L A X O W
J P C O V E R W Q Y R A E Y
```

PUZZLE 27

```
R I F O E L U B J E H T K K
R A T T O N N A C B C B W D
E U W A X O P A Q D I N D W
E S K O K P S G S L H I A H
N E E Y N E E S N U W E N O
I I E S L H T S H J O D C G L
A M T E C S I O E H N A E I
N S O S A A H H X S U R R V
U T P H T S D S W L R E U L
O A E A I G A N B D G B S O
M L D T O C E R P O I Q P N
H U B H U H H L L M U I R G
T X Y E S G A U N K N O W N
```

PUZZLE 28

```
A X N I G E B D L U O W D W T L
L E A N I G E B O T J C E Y P I
K F L W Y A N S B D O T V T A K
G I W W A T L A S T L M R O I S
E L A E W H A D S E E M E D D J
L Y Y M E I U N F I N I S H E D
C M S O H W Q U A O Q I F A A Q
A O B S T A C L E S R R S W C T
T G T T H H Q E O F A A N U I H
S B S A Q A M R L I E L M B R
B O E R T R E T F E O L O
O G D I T T R L X H S L N U
E E A F H M E F S I T T O A D G
M B X I E O N W V I F N T U E H
O D N I S V A H L A M E E U Z R
S G T W E F I L N E H T U O B A
```

PUZZLE 29

```
O M O B E B E T T E R A W V P
N I U N O I T A N I B M O C R
D T R U O L I T N U D N A C
R H D C H C I H W J E O I S D
A I E Y O K N I H T L T W E
W N E I J N S W E T U B W E T
T M D W C E S R O C N E I H E
U A S G A H M T E R L E L S R
O R S B E I A P I I E N L N M
F D O M N O W R O T W O B O I
Q U A E U E R T A I U R E I N
T N U R B C V G R C V T T T E
S S T C A P H N E A T K E C O
O U R S E L V E S L G E F A U
S A H T A H W O N K E W R S B
```

PUZZLE 30

```
I I N L I F E G R Z V Z X Q
Q X G N I H T Y R E V E L G
A O Y D N A L L O R V C N U
C S R Y N E D D N A U O U N
L S K O F A L L H S I W M T
E E E M M K H E Y T P U R R
A C H V Z A W T A P S F P U
N O C X L H I R U T O F J T
T N I J E E I N M R R B L H
A D H N I M S A T I D P R A
T P W G D W K X R E S P E C T
O E G A E E U C U X E J W Y
G E R E H T H K N O W N Q R
X P P R H Z A G F O T O N E
```

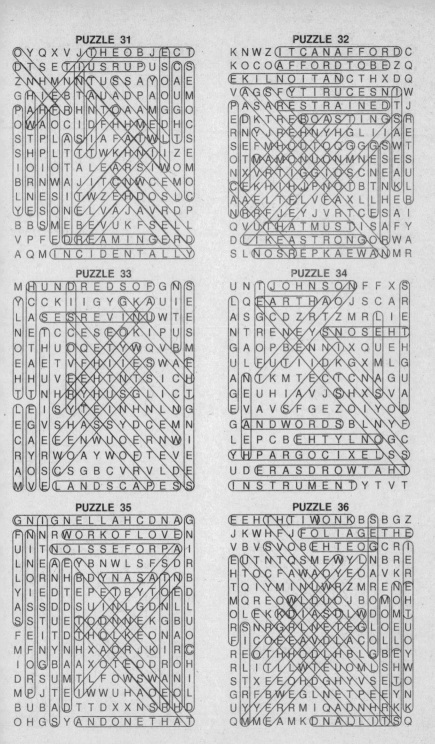

PUZZLE 31

```
O Y Q X V J T H E O B J E C T
D T S E T I U S R U P U S C S
Z H H M N N T U S S A Y O A E
G H I E B T A U A D P A O U M
P A H E B H N T O A A M G G O
O W A O C I D F H H M E D H C
S T P L A S I A F A T W L T S
S H P L T T T W K H N I I Z E
I O I I O T A L E A R S I W O M
B R N W A J I T C N W C E M O
L N E S I T W Z E H D O S L C
Y E S O N E L V A J A V R D P
B B S M E B E V U K F S E L L
V P F E D R E A M I N G E R D
A Q M I N C I D E N T A L L Y
```

PUZZLE 32

```
K N W Z I T C A N A F F O R D C
K O C O A F F O R D T O B E Z Q
E K I L N O I T A N C T H X D Q
V A G S F Y T I R U C E S N I W
P A S A R E S T R A I N E D T J
E D K T R E B O A S T I N G S R
R N Y J R E H N Y H G L I I A E
S E F M H O D T O Q G G G S W T
O T M A M O N U O N M N E S E S
N X V R T I G G I O S C N E A U
C E K H X H J P N O D B T N K L
A A E L T E L V F A X L L H E B
N R F J E Y J V R T C E S A I
Q V U T H A T M U S T I S A F Y
D L I K E A S T R O N G R W A
S L N O S R E P K A E W A N M R
```

PUZZLE 33

```
M H U N D R E D S O F G N S
Y C C K I I G Y G K A U I E
L A S E S R E V I X N U W T E
N E T C C E S E O K I P U S
O T H U O Q E T Y W Q V B M
E A E T V F H I X E S W A E
H H U V E E H T N T S I C H
T T N H B Y H U S G L I C T
L E I S Y T E I N H N L N G
E G V S H A S S Y D C E M N
C A E E E N W U O E R N W I
R Y R W O A Y W O F T E V E
A O S C S G B C V R V L D E
M V E L A N D S C A P E S S
```

PUZZLE 34

```
U N T J O H N S O N F F X S
L Q E E A R T H A O J S C A R
A S G C D Z R T Z M R L I E
N T R E N E Y S N O S E H T
G A O P B E N N I X Q U E H
U L F U T I I D K G X M L G
A N I K M T E C T C N A G U
G E U H I A V J S H X S V A
E V A V S F G E Z O I Y O D
G A N D W O R D S B L N Y F
L E P C B E H T Y L N O G C
Y H P A R G O C I X E L S S
U D E R A S D R O W T A H T
I N S T R U M E N T Y T V T
```

PUZZLE 35

```
G N I G N E L L A H C D N A G
F N N R W O R K O F L O V E N
U I T N O I S S E F O R P A I
L N E A E Y B N W L S F S D R
L O R N H B D Y N A S A T N B
Y I E D T E P E T B Y T O E D
A S S D D S U I N L G D N L L
S S T U E T O D N N E K G B U
F E I T D T H O L K E O N A O
M F N Y N H X A O R J K I R C
I O G B A A X O T E O D R O H
D R S U M T L F O W S W A N I
M P J T E I W W U H A O E O L
B U B A D T T D X X N S B H D
O H G S Y A N D O N E T H A T
```

PUZZLE 36

```
E E H T H T I W O N K B S B G Z
J K W H F J F O L I A G E T H E
V B V S V O B E H T E O G C R I
E U T N T Q S M E W Y L D N B R E
H T O C F A W A O Y E O A V K R
T Q I Y M I N N W R Z M R E N E
M Q R E O W L U U O J B O M O H
O L E K K D I A S D L W D O M T
R S N R G R L N E T E G L O E U
F I C O E E A V D L A C O L L O
R E O T H H O D L H B L G B E Y
R L I T L L W T E U O M L S H W
S T X E E O H D G H Y V S E T O
G R F B W E G L N E T P E E Y N
U Y Y E R R M I Q A D N H R K K
Q M M E A M K D N A L L I T S Q
```

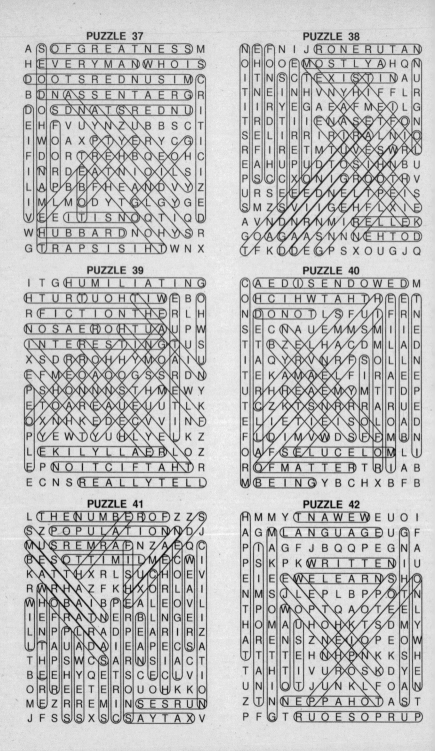

PUZZLE 37

```
A S O F G R E A T N E S S M
H E V E R Y M A N W H O I S
D O O T S R E D N U S I M R
B D N A S S E N T A E R G R
D O S D N A T S R E D N U I
E H F V U Y N Z U B B S C T
I W O A X P T Y E R Y C G I
F D O R T R E H B Q E O H C
I N R D E A T N I O I L S I
L A P B B F H E A N D V Y Z
I M L M O D Y T G L G Y G E
V E E I T I S N O Q T I Q D
W H U B B A R D N O H Y S R
G T R A P S I S I H T W N X
```

PUZZLE 38

```
N E F N I J R O N E R U T A N
O H O O E M O S T L Y A H Q
I T N S C T E X I S T I N A U
T N E I N H V N Y H I F F L R
I I R Y E G A E A F M E I G
T R D T I I E N A S E T F O N
S E L I R R I R I R A L N I O
E A H U P U D T O S I X H N B U
P C C X O N I G R O O T H
U R S E E E D N E L T P E I S
S M Z S V I I G E H F L X I E
A V N D N R N M I R E L L E K
G O A G A A S N N N E H T O D
T F K D D E G P S X O U G J Q
```

PUZZLE 39

```
I T G H U M I L I A T I N G
H T U R T U O H T I W E B O
R F I C T I O N T H E R L H
N O S A E R O H T U A U P W
I N T E R E S T I N G T U S
X S D R R O H H Y M O A I N
E F M E O A O G S S R D N
P S H O N N S T H M E W Y
E T O A R E A U E U U T L K
O X N H K E D E C V I N F
P Y E W T Y U H L Y E U K Z
L E K I L L Y L L A E R L O Z
E P N O I T C I F T A H T R
E C N S R E A L L Y T E L L
```

PUZZLE 40

```
C A E D I S E N D O W E D M
O H C I H W T A H T E E T
N D O N O T L S F U I F R N
S E C N A U E M M S M I I E
T I B Z E L H A C D M L A D
I A Q Y R V N R F S O L L
T E K A M A X E L F I R A E
U R H H E A E M Y M T T D
T C Z K T S N R R R A R U E
E L I E T I E I S O L O A D
F L D I M V W D S F P M B N
O A F S E L U C E L O M L U
R O F M A T T E R T R I A B
M B E I N G Y B C H X B F B
```

PUZZLE 41

```
L T H E N U M B E R O F Z Z S
S Z P O P U L A T I O N N D J
M U S R E M R A F N Z A E Q C
B E S O T T I M I L M E C W
K A T T H X R L S U C H O E I
R W R H A Z F K H X O R L A I
W H O B A I B P E A L E O V L
I E F R A T N E R B L N G E I
L N P P L R A D P E A R I R Z
U T A U A D A I E A P E C S A
T H P S W C S A R N S I A C T
B E E H Y Q E T S C E C U V I
O R B E E T E R O U O H K K O
M E Z R R E M I N S E S R U N
J F S S X S C S A Y T A X V
```

PUZZLE 42

```
H M M Y T N A W E W E U O I
A G M L A N G U A G E U G F
P I A G F J B Q Q P E G N A
P S K P K W R I T T E N I U
E I E W E L E A R N S H O
N M S J L E P L B P P O T N
T P O W O P T Q A O T E E L
H O M A U H O H K T S D M Y
A R E N S N Z E I O P E O M
T T T E H N H P N K K S H
T A H I I V U R O S K D Y
U N I O T J U N K L F O A N
Z T N N E P P A H O T A S T
P F G T R U O E S O P R U P
```

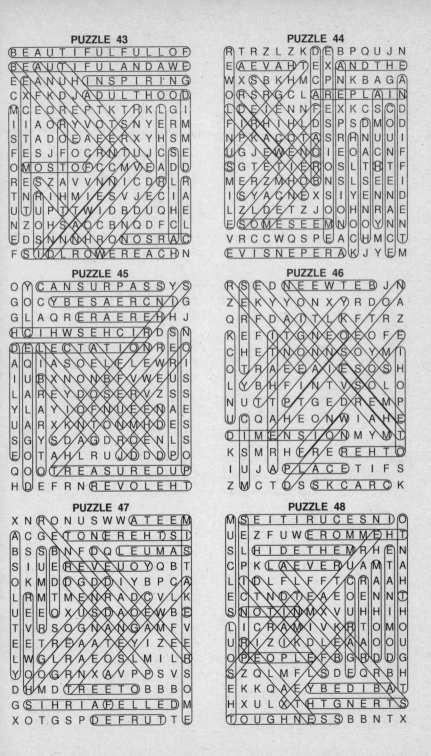

PUZZLE 43

PUZZLE 44

PUZZLE 45

PUZZLE 46

PUZZLE 47

PUZZLE 48

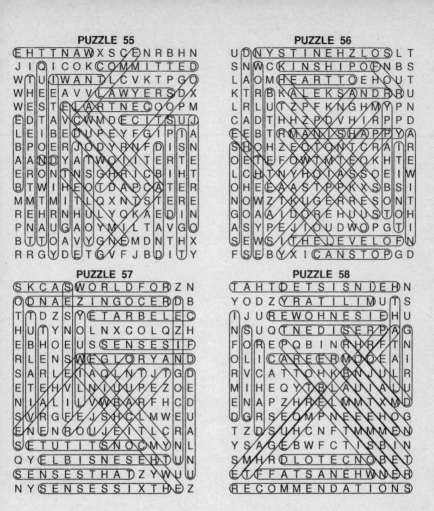

PUZZLE 55

```
E H T T N A W X S C E N R B H N
J I Q I C O K C O M M I T T E D
W T U I W A N T L C V K T P G O
W H E E A V V L A W Y E R S D X
W E S T E L A R T N E C O O P M
E D T A V C W M D E C I T S U J
L E I B E U P E Y F G I P I A
B P O E R J O D Y R N F D I S N
A A N O Y A T W O I I T E R T E
E R O N T N S G H R I C B I H T
B T W I H E O T D A P C A T E R
M M T M I T L Q X N T S T E R E
R E H R N H U L Y O K A E D I N
P N A U G A O Y M I L T A V G O
B U T O A V Y G N E M D N T H X
R R G Y D E T G V F J B D I T Y
```

PUZZLE 56

```
U D N Y S T I N E H Z L O S L T
S N W C K I N S H I P O F N B S
L A O M H E A R T T O E H O U T
K T R B K A L E K S A N D R B U
L R L U T Z P F K N G H M Y P N
C A D T H H Z P D V H I R P P D
E E B T R M A N I S H A P P Y A
S O H Z E O T O N T C R A I R
O E T E F O W T M T E O K H T E
L C H T N Y H O I A S S O E I W
O H E E A A S T P P K X S B S I
N O W Z T K U G E R R E S O N T
G O A A I D O R E H U U S T O H
A S Y P E J I O U D W O P G T I
S E W S I T H E D E V E L O P N
F S E B Y X I C A N S T O P G D
```

PUZZLE 57

```
S K C A S W O R L D F O R Z N
O D N A E Z I N G O C E R D B
T T D Z S Y E T A R B E L E C
H U T Y N O L N X C O L Q Z H
E B H O E U S S E N S E S I F
R L E N S W E G L O R Y A N D
S A R L E I A O L N T J T G D
E T E H V L N I X U I P E Z O E
N I A L I L V W B A R F H C D
S V R G F E J S H C L M W E U
E N E N R O U J E I T L C R A
S E T U T I T S N O C M Y N L
Q Y E L B I S N E S E H T U N
S E N S E S T H A T Z Y W U U
N Y S E N S E S S I X T H E Z
```

PUZZLE 58

```
T A H T D E T S I S N I E H N
Y O D Z Y R A T I L I M U T S
I J U R E W O H N E S I E H U
N S U Q T N E D I S E R P A G
F O R E P Q B I N R H R F T N
O L I C A R E E R M O O E A I
R V C A T T O H K B N J U L R
M I H E Q Y T B L A U I A L U
E N A P Z H R E L M M T X W D
D G R S E O M P N E E E H O G
T Z D S U H C N F T M M M E N
Y S A G E B W F C T I S B I N
S M H R O L O T E C N O B E T
E T F F A T S A N E H W N E R
R E C O M M E N D A T I O N S
```